CW00392522

Ingo Siegner

# Der kleine Drache Kokosnuss
# Schulausflug ins Abenteuer

Ingo Siegner

# Der kleine Drache Kokosnuss

## Schulausflug ins Abenteuer

*Dank an Raimund Düking für die Beratung in botanischen Fragen*

Verlagsgruppe Random House FSC® N001967

7. Auflage

Umschlagbild und Innenillustrationen: Ingo Siegner
Lektorat: Hjördis Fremgen
Umschlagkonzeption: basic-book-design, Karl Müller-Bussdorf
hf · Herstellung: hag
Satz und Reproduktion: Lorenz & Zeller, Inning a. A.
Druck: Grafisches Centrum Cuno GmbH & Co. KG, Calbe
ISBN 978-3-570-15637-7
Printed in Germany

www.cbj-verlag.de
www.drache-kokosnuss.de

# Inhalt


Der Lehrer Dr. Blumenkohl 7

Gespenster im Klippenwald 15

Die Schlucht 31

Das Entenblümchen und der Troll 44

Appetita gigantea 53

Entenblümchen 62

## Der Lehrer Dr. Blumenkohl

Am Abend blickt die Drachenmutter Mette aus der Höhle und ruft: »Kokosnuss, pack jetzt endlich deine Tasche! Du musst morgen früh aufstehen!«
Der kleine Drache Kokosnuss sitzt vor der Höhle, scharrt mit seinen Krallen in der Erde und blickt missmutig hinab in die Drachenbucht. Morgen beginnt in der Schule die Projektwoche. Leider wurde er für das allerallerlangweiligste Projekt eingeteilt: *Dr. Blumenkohls Ausflug in die Pflanzenwelt*. Dr. Blumenkohl ist zwar ein netter Drachenlehrer, aber Pflanzenkunde interessiert Kokosnuss nicht die Bohne.
»Kokosnuss!«, ruft Mette. »Jetzt wird es aber Zeit! Du musst auch deinen Schlafsack und die Isomatte noch suchen! Außerdem steht das Essen gleich auf dem Tisch!«
»Ja, ja«, brummt Kokosnuss, schlurft in die Höhle und sammelt seine Sachen zusammen.

Sein Vater Magnus steht am Herd und kocht ein Süppchen.
»Wo geht's morgen eigentlich hin?«, fragt der große Drache.
»Zu den Riesenpilzen. Zu Fuß«, antwortet Kokosnuss. »Dr. Blumenkohl kann ja nicht fliegen.«
»Dafür kann er nichts«, sagt Mette, während sie den Tisch deckt. »Er ist ein Hörnerdrache und die haben nun einmal keine Flügel.«
»Im Tal der Riesenpilze«, sagt Magnus, »müsst ihr euch vor den Trollen in Acht nehmen!«
Kokosnuss blickt seinen Vater erstaunt an: »Trolle?«
»Die gibt's da«, sagt Magnus. »Die sind riesig und hauen alles platt.«
Kokosnuss guckt erst zu Magnus, dann zu Mette. Seine Mutter schüttelt den Kopf. »Trolle gibt es nur im Märchen.«
»So, so«, sagt Magnus, »und warum wachsen im Tal der Riesenpilze wohl Riesenpilze? Nämlich damit die riesigen Trolle etwas zu essen haben!«
»Jetzt essen *wir* erst einmal«, sagt Mette. »Und dann ab in die Koje!«

Am nächsten Morgen erwartet Dr. Blumenkohl die Kinder vor der Schule. Kokosnuss ist erleichtert. Die anderen Kinder in seiner Gruppe sind allesamt seine Freunde: das Stachelschwein Matilda, der kleine Fressdrache Oskar und die Feuerdrachenkinder Lulu und Duftikus.
Dr. Blumenkohl rückt seine Brille zurecht. Das ist nicht ganz einfach, denn neben der Brille wachsen zwei Hörner auf seiner Nase, und da wird es schon ein wenig eng, auch wenn die

Hörner nicht sehr groß sind. Dr. Blumenkohl selbst ist übrigens auch nicht groß: ungefähr zwei Köpfe größer als ein Drachenschüler.

Der Lehrer räuspert sich und sagt: »Guten Morgen, liebe Kinder!«

Die Kinder antworten im Chor: »Guten Morgen, Dr. Blumenkohl!«

»Ähm, ja«, sagt Dr. Blumenkohl. »Nun, wo waren wir stehen geblieben?«

»Beim ›Guten Morgen‹«, sagt Matilda.

»Richtig! Nun, wie ihr sicher schon wisst, führt uns unser Schulprojekt in das Tal der Riesenpilze. Dort wollen wir das Blümchen finden, das ich euch hier einmal aufgezeichnet habe.«

Der Lehrer hält eine kleine Tafel hoch.
»Ihr seht, dass die Blüte die Form eines Entleins aufweist. Aus diesem Grunde wird es Entenblümchen genannt oder auch *Entula mimetica*.«[1]
Die Kinder blicken zunächst auf Dr. Blumenkohl, dann auf die Zeichnung.

[1] Dieses Blümchen kommt nur auf der Dracheninsel vor und ist deshalb nicht in den botanischen Büchern aufgeführt.

Lulu meldet sich: »Was ist an dem Enten-
blümchen besonders? Ist es eine Heilpflanze?«
»Nein«, antwortet Dr. Blumenkohl.
»Ist es gefährlich?«, fragt Oskar.
»Aber nein. Das Besondere an dem Enten-
blümchen ist: Es gilt als ausgestorben!«
Der Lehrer blickt erwartungsvoll in die Runde.
Die Kinder starren Dr. Blumenkohl an, doch
keines meldet sich.
Da hebt Matilda zaghaft den Arm. »Warum ist
das Entenblümchen denn wohl ausgestorben?«
»Nun … früher gab es sehr viele Entenblümchen
auf der Dracheninsel. Sie waren ein begehrtes
Nahrungsmittel, bis schließlich irgendein Ochse
das letzte Entenblümchen gefressen hat. Besser
gesagt: das vorletzte!«
Kokosnuss hat Mühe, seine Augen offen zu
halten, und Duftikus ist eingenickt.
Lulu meldet sich: »Wenn der Ochse das vorletzte
Entenblümchen gefressen hat, wo ist denn dann
das letzte?«
Dr. Blumenkohl zeigt auf Lulu, zwinkert ihr zu

und sagt: »Genau das ist die Frage! Es soll kürzlich ein Entenblümchen gesehen worden sein, und zwar im Tal der Riesenpilze! Deshalb werden wir dorthin wandern, um es zu finden!«
»Aber Dr. Blumenkohl«, sagt Matilda, »das ist doch ziemlich weit.«
»Wer ein Biologe werden möchte, muss manchmal weite Wege gehen.«
Oskar flüstert: »Und wenn man kein Biologe werden möchte?«
»Wie bitte?«, fragt Dr. Blumenkohl.
»Äh, nichts«, sagt Oskar. »Ich meine, was machen wir denn, wenn wir das Entenblümchen gefunden haben?«
Der Lehrer holt ein großes Buch hervor und sagt: »Dann nehmen wir es in das ›Große Buch der Dracheninsel‹ auf. Darin sind alle bekannten Lebewesen der Dracheninsel aufgeführt.«
Kokosnuss ist plötzlich hellwach und fragt: »Stehen in dem Buch auch Trolle drin?«

Die anderen blicken Kokosnuss erstaunt an.
»Trolle?«, fragt Dr. Blumenkohl. »Aber nein. Wie kommst du darauf?«
»Ich habe gehört, im Tal der Riesenpilze leben Trolle.«
Der Lehrer lächelt und sagt: »Trolle gibt es nur im Märchen.«
Die Kinder atmen erleichtert aus. Schließlich sollen Trolle wild und gefährlich sein. Kokosnuss aber ist enttäuscht. Er hätte gerne einmal einen Troll gesehen.
»Nun lasst uns aufbrechen!«, sagt Dr. Blumenkohl. »Wir müssen vor Einbruch der Dunkelheit den Klippenwald erreichen.«
Auweia, der Klippenwald, denkt Kokosnuss. Der kleine Drache spürt Matildas Blick. Sie denkt bestimmt das Gleiche. Im Klippenwald spukt es! Das wissen die beiden aus eigener Erfahrung. Und deshalb ist es eigentlich keine gute Idee, dort zu übernachten.[2]

[2] Siehe »Der kleine Drache Kokosnuss im Spukschloss«.

# Gespenster im Klippenwald

Bis in den Abend hinein führt Dr. Blumenkohl die Schulkinder nach Westen. Als sie den Klippenwald erreichen, ist es dunkel. Wie mächtige Riesen ragen die uralten Bäume in den nachtschwarzen Himmel. Der kühle Nachtwind fährt durch die Baumwipfel. Die Kinder frösteln. Irgendwie kommt es ihnen so vor, als würden sie beobachtet.

Vielleicht sind das Gespenster oder womöglich Trolle, denkt Kokosnuss beunruhigt.
Unter einem großen Baum bleibt Dr. Blumenkohl stehen und sagt: »Kokosnuss, Matilda und Duftikus, ihr sammelt Feuerholz! Die anderen bauen mit mir das Zelt auf!«
Nach dem Abendessen, als die Flammen des Lagerfeuers kleiner werden, gibt der Lehrer eine Runde von seinem Lieblingsnachtisch aus: Rote Grütze mit Vanillesoße.
Matilda flüstert Kokosnuss zu: »Sollten wir Dr. Blumenkohl nicht von Klemenzia erzählen?«[3]
»Hm, am besten, du erzählst das«, sagt Kokosnuss leise.
»Wieso ich?«
»Weil ich schon nach den Trollen gefragt habe.«
»Aber nach Trollen zu fragen, ist wirklich ein bisschen blöd. Jeder weiß, dass es Trolle nicht gibt.«
»Gespenster soll es auch nicht geben!«

[3] Klemenzia ist ein Gespenst, das Kokosnuss und Matilda in dem Abenteuer »Der kleine Drache Kokosnuss im Spukschloss« kennengelernt haben.

»Kokosnuss, Matilda«,
sagt Dr. Blumenkohl.
»Was gibt es zu
flüstern?«
»Och«, murmelt
Matilda. »Es ist nur …
also … es könnte
nämlich sein, dass …«

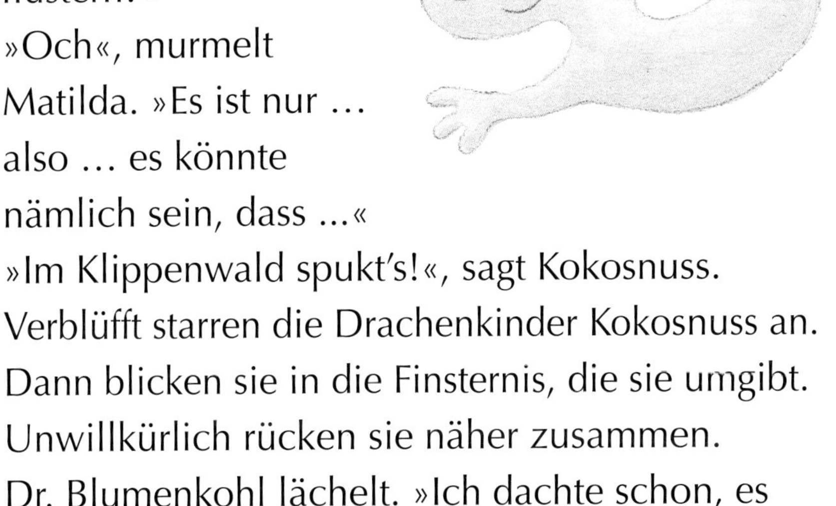

»Im Klippenwald spukt's!«, sagt Kokosnuss.
Verblüfft starren die Drachenkinder Kokosnuss an.
Dann blicken sie in die Finsternis, die sie umgibt.
Unwillkürlich rücken sie näher zusammen.
Dr. Blumenkohl lächelt. »Ich dachte schon, es
sei etwas Ernstes.«
»A-aber es ist ernst!«, protestiert Kokosnuss.
»Hier in der Nähe leben Gespenster. Und die
können ihre eigenen Köpfe durch die Luft
werfen!«
»Das haben wir selbst gesehen!«, sagt Matilda.
Oskar, Lulu und Duftikus gucken entgeistert.
»Jetzt übertreibt mal nicht!«, sagt Dr. Blumen-
kohl. »Jeder weiß, dass es keine Gespenster gibt.

Und jetzt ab mit euch ins Zelt! Wir müssen morgen früh aufbrechen.«
»A-aber Herr Dr. Blumenkohl«, sagt Duftikus. »Wenn doch Matilda und Kokosnuss die Gespenster wirklich gesehen haben!«
Der Lehrer überlegt. »Na schön. Damit ihr ruhig schlafen könnt, werde ich vor dem Zelt Wache halten.«
Die Schüler sind beruhigt. Wenn Herr Dr. Blumenkohl aufpasst, wird schon nichts passieren. Sie schlüpfen in das Zelt und kuscheln sich in ihre Schlafsäcke.
Doch das Einschlafen ist nicht so einfach, denn es raschelt und krawuschtelt und schlängelt und dengelt und flattert und klappert. In der Nacht sind viele Tiere unterwegs.
»Manometer!«, flüstert Duftikus. »Wie soll man bei dem Krach denn schlafen?«
»Guck dir Oskar an!«, sagt Lulu. »Der schläft schon tief und fest.«
»Außerdem sind die Geräusche ganz normal«, sagt Matilda und holt das große Buch hervor.

»Viele Waldtiere werden nachts erst richtig wach, zum Beispiel Dachse, Eulen und Uhus. Steht alles hier drin.«
»Kommen auch Gespenster darin vor?«, fragt Kokosnuss.
Matilda blättert. »Nö. Das hätte mich auch sehr gewundert.«
Da hören sie aus weiter Ferne Glockenschläge. Es klingt einmal, zweimal, dreimal ...
Matilda zählt in Gedanken mit. »Zwölfmal«, flüstert sie. »Geisterstunde.«

Die Kinder sind mucksmäuschenstill. Kurze Zeit später hören sie ein neues Geräusch: lautes Schnarchen!
»Na prima«, sagt Lulu. »Von wegen ›Wache halten‹!«
Kokosnuss lugt aus dem Zelt. Tatsächlich: Dr. Blumenkohl lehnt an dem Baum und schläft friedlich wie ein Murmeltier. Der kleine Drache schlüpft wieder in seinen Schlafsack.
»Lasst uns schlafen! Morgen wird's bestimmt anstrengend.«
»Schlafen?«, brummt Duftikus. »Ich meine, wie soll ich denn schlafen, wenn draußen so ein Krach ist? Dr. Blumenkohl schnarcht wie ein Holzfäller. Und jetzt hat auch noch die Geisterstunde angefangen!«
In diesem Augenblick ertönt ein schauerliches »Buhuhuuuuuu!«.
Die Kinder schrecken hoch, nur Oskar schläft tief und fest.
»W-war d-das Klemenzia?«, flüstert Matilda zitternd.

Da hören sie einen dumpfen Aufprall vor dem Zelt. Vorsichtig schaut Kokosnuss hinaus. Vor ihm liegt ein durchsichtiger Kopf auf dem Boden.
»Das ist Gerd«, flüstert der kleine Drache. »Aber nur sein Kopf.«[4]
»Buhuhuuuuuuu!«, heult Gerd, so gruselig er kann.
»Nicht so laut!«, sagt Kokosnuss. »Sonst wacht unser Lehrer auf!«
Gerd stutzt. Verblüfft mustert er den kleinen Drachen. »Hast du dich gar nicht erschreckt?«
»Ehrlich gesagt, nicht so richtig. Ich kenne dich doch. Und den Trick mit dem Kopf habe ich schon einmal gesehen.«
»Ha!«, ruft Gerd. »Du bist doch der Kokolores!«
»Nein«, sagt Kokosnuss.
»Ehm, Schokomus!«
»Nein.«
»Moment, gleich hab ich's! Öhm, Joghurt?«
»Nein, ich heiße Kokosnuss!«

[4] Das Gespenst Gerd haben Kokosnuss und Matilda in dem Buch »Der kleine Drache Kokosnuss und der große Zauberer« kennengelernt.

»Genau, Kokosnuss! Was machst du hier, altes Haus? Wo ist denn das Stacheltier, äh, irgendwas mit M, öh, Makkaroni oder so.«
Matilda steckt ihren Kopf aus dem Zelt und sagt ärgerlich: »Matilda heiße ich, du Dussel! Immer vergisst du unsere Namen!«
»Öh, ja, Matilda, entschuldige bitte! Haben sich die anderen Leute wenigstens erschreckt?«
Zaghaft blicken Lulu und Duftikus hinaus. Sie trauen ihren Augen nicht: ein durchsichtiger Kopf! Ohne Körper!
Gerd strahlt. »Ich sehe, ihr gruselt euch! Prima!«
»Wo hast du eigentlich deinen Körper gelassen?«, fragt Kokosnuss.
»Äh, der ist oben im Baum. Könntest du ihn bitte holen?«

Hoch über ihnen sitzt Gerds Körper auf einem dicken Ast und hält sich ängstlich am Baumstamm fest. Kokosnuss fliegt hinauf, nimmt den Körper an die Hand und bringt ihn vorsichtig hinunter.
»Danke vielmals!«, sagt Gerd und setzt sich wieder zusammen.
Lulu und Duftikus gucken ungläubig auf das gespenstische Wesen.
»Was ist?«, fragt Gerd. »Noch nie ein Gespenst gesehen?«
Da raschelt es im Zelt und Oskar steckt verschlafen seinen Kopf heraus.
»Hilfe!«, schreit Gerd und weicht zurück. »E-ein Fr-Fressdrache!«
»Ui!«, staunt Oskar und gähnt. »Ein Gespenst, das ist ja ein Ding.«
»Gerd, du brauchst keine Angst zu haben«, sagt Kokosnuss. »Oskar frisst keine Gespenster.«
Plötzlich weht ein eisiger Hauch durch die Bäume. Wie aus dem Nichts erscheint eine dürre, durchsichtige Gestalt mit langen, strähnigen

Haaren. Sie verschränkt die Arme vor der Brust und fragt streng: »Was ist denn hier los?«
Die Kinder rühren sich nicht.
»Klemenzia!«, ruft Gerd freudig. »Du erinnerst dich bestimmt an Kokosnuss und Matilda. Sie haben Freunde mitgebracht, sogar einen Fressdrachen, aber keine Angst, der frisst keine Gespenster.«
»Ich habe keine Angst«, erwidert Klemenzia mit schneidender Stimme. »Und außerdem sind Gespenster nicht essbar.«

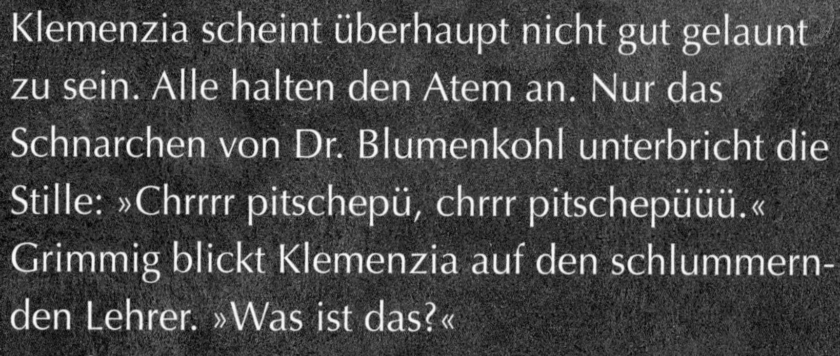

Klemenzia scheint überhaupt nicht gut gelaunt zu sein. Alle halten den Atem an. Nur das Schnarchen von Dr. Blumenkohl unterbricht die Stille: »Chrrrr pitschepü, chrrr pitschepüüü.« Grimmig blickt Klemenzia auf den schlummernden Lehrer. »Was ist das?«
»D-das ist u-unser Lehrer, Dr. Blumenkohl«, antwortet Kokosnuss. »Er hält Wache.«

»Das sehe ich«, sagt Klemenzia spöttisch.
»Ich habe schon versucht, ihn wach zu spuken«, sagt Gerd. »Aber da ist nichts zu machen.«
»Der glaubt sowieso nicht an Gespenster«, erklärt Oskar.
»Dem könnte ich einen Spuk verpassen«, krächzt Klemenzia, »dass ihm die Hörner von der Nase fliegen!«

»Das würde ich lieber nicht tun«, sagt Kokosnuss. »Dr. Blumenkohl ist nicht so harmlos, wie er aussieht. Ich habe einmal gesehen, wie er einen Fressdrachen in Rote Grütze verwandelt hat!«

Klemenzia und Gerd blicken verblüfft zu Dr. Blumenkohl hinüber. Matilda, Lulu und Duftikus starren Kokosnuss ungläubig an.

Oskar aber sagt: »Und dann hat er Vanillesoße über die Grütze gekippt und alles aufgegessen!«

Gerd schluckt.

»Und wo hatte er die Vanillesoße her?«, fragt Klemenzia misstrauisch.

»Die hat er immer dabei«, erklärt Kokosnuss und holt schnell das Glas mit der Vanillesoße aus dem Bollerwagen.

»Siehst du, hier steht ›Dr. Bronco Blumenkohl‹ drauf!«

Klemenzia schnuppert. »Stimmt. Vanillesoße.«

»Au Backe!«, flüstert Gerd.
Unsicher blickt Klemenzia auf Dr. Blumenkohl. So recht glauben kann sie die Geschichte nicht, aber sie möchte auch nicht in Rote Grütze verwandelt werden. Niemand gruselt sich vor Roter Grütze.
»Gut«, brummt sie. »Wir verschwinden. Komm, Gerd!«
Da fällt Kokosnuss etwas ein: »Bevor ihr davonschwebt, könnten wir euch in das ›Große Buch der Dracheninsel‹ aufnehmen? Darin sind alle Lebewesen der Insel aufgeführt.«
»Hä?«, krächzt Klemenzia.
Matilda holt das Buch hervor und erklärt: »Wir bräuchten nur eure Namen, das Geburtsdatum, die Adresse und so weiter.«
»Prima!«, sagt Gerd. »Also, ich heiße Gerd das Gespenst und ...«
»Halt, halt!«, ruft Klemenzia. »Wir gehören nicht in dieses Buch! Gespenster sind keine Lebewesen, und wer weiß, was ihr mit unseren Daten alles anstellt!«

Mit diesen Worten dreht sich das Gespenst einmal um die eigene Achse und kehrt in den finsteren Wald zurück.
»Oh, öh, ja«, stammelt Gerd. »Klemenzia hat vielleicht recht. Nun, ähm, also dann, spukfreie Nacht wünsche ich!«
Als auch Gerd im Wald verschwunden ist, atmen die Kinder auf. Wie still es mit einem Mal geworden ist! Nur das leise Schnarchen von Dr. Blumenkohl ist zu hören.
»Sollen wir Dr. Blumenkohl von Gerd und Klemenzia erzählen?«, fragt Matilda.
»Das glaubt er sowieso nicht«, sagt Duftikus.
»Wenn die Erwachsenen wüssten, was es alles gibt«, sagt Lulu.
Die Kinder schlüpfen ins Zelt zurück und bleiben noch eine ganze Weile wach. Nur Oskar ist im Nu wieder eingeschlafen.

# Die Schlucht

»Aufstehen, ihr Schlafmützen! Es gibt Frühstück!«, ruft Dr. Blumenkohl. »Tss, da halte ich die ganze Nacht über Wache und bin doch als Erster wieder auf den Beinen.«
Als alle zum Frühstück bei Kokosmilch und Haferflocken beisammensitzen, berichten die Kinder von den Gespenstern. Dr. Blumenkohl schüttelt den Kopf.
»Das habt ihr nur geträumt, Kinder. Wisst ihr, wenn es Gespenster tatsächlich geben sollte, so wären sie doch schon längst erforscht. Man hat noch nie die kleinste Spur eines Gespenstes gefunden.«
»Gespenster schweben ja auch«, sagt Kokosnuss. »Sie hinterlassen keine Spuren.«
Dr. Blumenkohl seufzt und füllt eine Portion Rote Grütze mit Vanillesoße in seine Frühstücksschale. »Vergesst einmal die Gespenster! Wer möchte von der Roten Grütze kosten?«

Die Kinder beobachten, wie der Lehrer genüsslich seine Grütze verspeist.
»Herr Dr. Blumenkohl«, sagt Duftikus. »Ist diese Rote Grütze schon immer Rote Grütze gewesen?«
Der Lehrer stutzt. »Wie meinst du das?«
»Vielleicht waren das vorher gefährliche Fressdrachen und dann sind sie in Rote Grütze verwandelt worden!«

Dr. Blumenkohl betrachtet die Grütze auf seinem Frühstückslöffel und brummt: »Rote Grütze besteht aus roten Beeren. Und rote Beeren sind rote Beeren.«
»Und Fressdrachen sind Fressdrachen«, sagt Oskar. Er verschlingt eine Riesenportion Rote Grütze mit Vanillesoße, grinst und sagt: »Und eben habe ich sechs Fressdrachen aufgefressen!«

Als Zelt, Schlafsäcke und Proviant im Bollerwagen verstaut sind, marschieren der Lehrer und die Schüler weiter in westliche Richtung. Einen halben Tag lang führt der Weg durch den Klippenwald, über Wiesen und Täler, bis sie an den Rand einer tiefen Schlucht gelangen. Über dem Abgrund schaukelt eine klapprige Hängebrücke. Die morschen Holzplanken sind an zwei verwitterten Tauen befestigt, die über das Tal gespannt sind. Zum Festhalten führen in Brusthöhe zwei Seile bis zur anderen Seite hinüber.

Kokosnuss blickt nach unten und murmelt:
»Ganz schön tief!«
Auf der anderen Seite des Tals schlängelt sich ein schmaler Pfad in die Schlucht hinunter.
»Nun, ehm«, sagt Dr. Blumenkohl. »Wir müssen die Hängebrücke überqueren und dann in das Tal hinabsteigen. Wer geht als Erster?«
Duftikus' Augen weiten sich. »Ich gehe da bestimmt nicht hinüber! Ich kann doch fliegen!«

»Ich auch!«, sagt Lulu.
»Ich auch!«, sagt Kokosnuss.
»Kokosnuss könnte mich huckepack nehmen!«, ruft Matilda.
»Lulu und Duftikus«, sagt Oskar, »könnten mich durch die Luft tragen!«
Dr. Blumenkohl räuspert sich. »Nun gut, ehm, stimmt. D-dann gehe ich wohl mal allein über diese Brücke.«
»Und der Bollerwagen?«, fragt Lulu.
Dr. Blumenkohl schluckt. Wie soll er denn den vollgepackten Bollerwagen über diese schaukelnde Hängebrücke kriegen?
»Wenn Matilda und Oskar unten sind«, sagt Kokosnuss, »holen wir den Bollerwagen.«
Der Lehrer atmet erleichtert auf und sagt: »Gute Idee!«
Und während die Drachenkinder die Flugtransporte übernehmen, setzt Dr. Blumenkohl seinen Fuß vorsichtig auf die erste Planke der Hängebrücke. Sie wackelt bedrohlich und der Lehrer ergreift zitternd die Halteseile.

Flüsternd macht er sich Mut: »Ganz ruhig, Bronco, du schaffst das. Bloß nicht nach unten schauen!«
Immer wieder muss Dr. Blumenkohl stehen bleiben, weil ein Windstoß ihn aus dem Gleichgewicht bringt. Und plötzlich, in der Mitte, wo die Hängebrücke am stärksten schaukelt, erstarrt der Lehrer: Zwei Planken fehlen!
In diesem Augenblick fliegt Lulu herbei und ruft: »Herr Dr. Blumenkohl, wir sind fertig. Ist bei Ihnen alles in Ordnung?«
»Ehm, ich weiß nicht recht. Hier fehlen z-zwei P-P-Planken.«
»Warten Sie!«, sagt Lulu. »Ich komme gleich wieder!«
Kurze Zeit später fliegen Lulu, Kokosnuss und Duftikus mit den Seilen herbei. Drei der Seilenden sind zu Schlaufen gebunden.
»Legen Sie die Seile an!«, ruft Lulu. »Wir fliegen Sie hinunter.«

»A-aber bin ich nicht zu schwer für euch?«
»Wird schon schiefgehen!«, sagt Kokosnuss.
Zögernd schlüpft der Lehrer in die Schlaufen. Die Drachenkinder halten die anderen Enden der Seile fest und fliegen in die Höhe, bis sich die Seile spannen.
»Jetzt die Brücke loslassen, Dr. Blumenkohl!«, ruft Lulu.
Dr. Blumenkohl holt tief Luft und lässt los. Im selben Moment verliert er das Gleichgewicht und stürzt in die Tiefe.
»Hilfe!«
Der Lehrer ist so schwer, dass es ziemlich rasant nach unten geht. Mit kräftigen Flügelschlägen bremsen die Drachenkinder den Fall, so gut sie können.
»Das ist zu schnell!«, ruft Lulu verzweifelt.
Da hat Kokosnuss eine Idee: »Dr. Blumenkohl, können Sie schwimmen?«
»Wieso fragst du das jetzt?«, schreit der Lehrer. »Ich stürze gleich in die Tannen und werde mir alle Knochen brechen!«

»Ich frage nur, weil da hinten ein kleiner See liegt.«
»Wie? Ein See? Jaaaa, ich kann schwimmen!«
Als die Tannenspitzen schon den Bauch des Lehrers kitzeln, hieven die Drachenkinder Dr. Blumenkohl zu dem kleinen See und lassen die Seile los. Mit einem Riesenklatscher landet er im Wasser. Er prustet, hustet, lacht und ruft: »Bravo, Kinder!«

Der See ist umgeben von hohen Tannen. Zu beiden Seiten der engen Schlucht erheben sich die Felswände, so hoch, dass die Hängebrücke von unten wie ein Bauwerk aus Streichhölzern aussieht. Nach Westen hin öffnet sich die Schlucht zu einem breiten Tal – das Tal der Riesenpilze.
»Es ist noch nicht sehr spät, Kinder«, sagt Dr. Blumenkohl. »Lasst uns noch zu den Riesenpilzen marschieren und dort unser Lager aufschlagen!«
Sie wandern an einem kleinen Fluss entlang talabwärts. Weiter unten, wo das Tal breiter wird,

sehen sie die ersten Riesenpilze. Manche sind nicht größer als ein kleiner Drache, andere sind so hoch wie ein ausgewachsener Fressdrache. Hin und wieder erblicken sie Pilze ohne Hüte. Nur die Stiele ragen krumm und schief aus der Erde, als seien die Hüte mit einem Hieb abgeschlagen worden.
»Das war bestimmt ein Troll«, flüstert Kokosnuss.
»Au Backe«, sagt Duftikus leise.
»Dr. Blumenkohl?«, fragt Lulu. »Warum fehlen bei einigen Pilzen die Hüte?«
»Das sind sicher Sturmschäden, nichts weiter«, antwortet der Lehrer. »Haltet nur immer gut Ausschau nach dem Entenblümchen!«
Dr. Blumenkohl geht fröhlich vorneweg. Die Kinder aber blicken sich verstohlen um, ob nicht hinter einem der Riesenpilze ein Troll lauert.
»Sturmschäden?«, brummt Matilda leise. »Nie und nimmer!«
Auf einer Lichtung, zwischen ein paar großen Champignons, schlagen die Schüler das Zelt auf. Nach dem Essen kriechen sie müde in die Schlaf-

säcke. Mit dem gleichmäßigen Schnarchen von Dr. Blumenkohl sind sie schnell eingeschlafen.

Am nächsten Morgen, gleich nach dem Frühstück, verteilt Dr. Blumenkohl ein paar Trillerpfeifen.
»Kokosnuss, Matilda und Oskar, ihr geht nach Norden! Wir anderen suchen im Süden. Wer ein Entenblümchen findet, pfeift auf seiner Trillerpfeife, so laut er kann!«

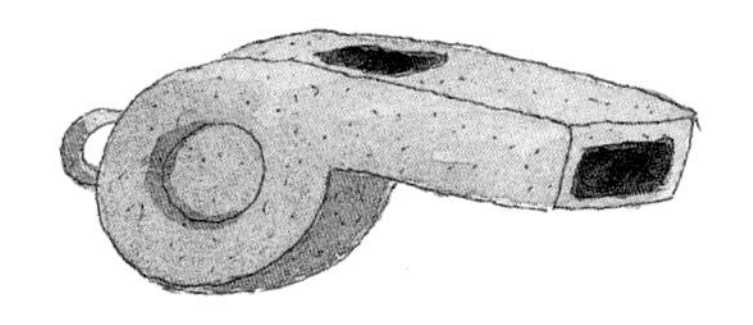

## Das Entenblümchen und der Troll

Seit Stunden suchen Kokosnuss, Matilda und Oskar zwischen den Riesenpilzen den Boden ab, doch nirgends ist ein Entenblümchen zu sehen.
»Ich habe Hunger«, brummt Oskar.
Der kleine Fressdrache sucht sich ein schattiges Plätzchen unter einem Riesenpilz und holt seine belegten Brote hervor. Seufzend setzen Kokosnuss und Matilda sich dazu. Die Suche in der Hitze ist ganz schön anstrengend.
»Hm, lecker Käsebrot!«, sagt Oskar.
»Wie viel zu essen du immer dabeihast!«, sagt Matilda.
»Ich bin halt im Wachstum.«
»Und ich bin mal am Schlummern«, murmelt Kokosnuss und legt sich ins weiche Moos.

»Ich auch«, sagt Matilda und streckt sich ebenfalls aus.

Oskar mümmelt vergnügt seine Stulle, als er plötzlich, nur wenige Schritte entfernt, ein paar grüne Pflänzchen sieht.
Hm, sehen die nicht aus wie kleine Entchen?
Oskar steht auf und betrachtet die Pflänzchen aus der Nähe.
Tatsächlich – das sind Entenblümchen!
Oskars Herz pocht laut und aufgeregt. Er hat Entenblümchen gefunden, auch noch drei Stück!
Er schnüffelt.
Wie gut die riechen! Die würden prima zu dem Käse auf meinem Brot passen!
Der kleine Fressdrache blickt zu Kokosnuss und Matilda hinüber.
Eigentlich sollte ich sie wecken, aber es wäre bestimmt besser, vorher das Brot aufzuessen. Mit vollem Mund spricht man nämlich nicht.

Und weil sich das Käsebrot mit etwas grünem Salat sicher leichter essen lässt, zupft Oskar zwei der Entenblümchen ab, verteilt sie auf dem Käse und verschlingt alles mit einem Happs. Köstlich!
»Oskar!«, ruft Matilda. »Was machst du denn da drüben?«
Der kleine Fressdrache zuckt zusammen und sagt: »Stellt euch vor, hier wächst ein Entenblümchen!«
Im Nu sind Kokosnuss und Matilda hellwach und flitzen zu Oskar.
»Tatsächlich!«, ruft Kokosnuss. »Das Entenblümchen!«
Matilda aber bemerkt zwei abgebrochene Stängel und fragt misstrauisch: »Waren da noch mehr Entenblümchen?«
»Äh, nicht direkt«, antwortet Oskar. »Das heißt, doch, zwei Stück. Ich musste nachprüfen, ob es wirklich Entenblümchen sind. Und da habe ich schweren Herzens zwei gegessen.«
»Und?«, fragt Kokosnuss.
»Es waren Entenblümchen.«

»Oskar, du bist so ein Vielfraß!«, sagt Matilda empört. »Das sind vielleicht die allerletzten ihrer Art und du mümmelst die einfach weg!«
»A-aber da ist doch noch eines!«
Kokosnuss holt die Trillerpfeife. »Dr. Blumenkohl wird sich riesig freuen!« Kräftig bläst der kleine Drache in die Pfeife hinein.
Oskar schluckt. »Öh, könntet ihr das für euch behalten, ehm, dass ich davon gegessen habe?«
Matilda seufzt. »Klaro, das bleibt unter uns, du Fressdachs.«

Kurze Zeit später bebt die Erde von schweren Schritten. Die Freunde erkennen einen riesigen Schatten, der auf sie zukommt.
»D-das sind aber nicht die anderen«, sagt Matilda.
Schnell verstecken sie sich hinter dem Stamm eines großen Pilzes. Die drei erstarren vor Schreck: Ein mächtiger, halsloser Riese nähert sich ihnen mit einem grimmigen Blick. Er hat

kurze, kräftige Beine, muskelbepackte Arme und trägt eine zerschlissene Hose. In den klobigen Händen hält er eine große Keule.
»Ein Troll«, flüstert Kokosnuss kaum hörbar.
Schon steht der Troll vor dem Versteck der Freunde. Mit einem Keulenhieb schlägt er den Pilz in Stücke. Kokosnuss, Matilda und Oskar stehen mit einem Mal ungeschützt auf weiter Flur.
»Wer hat hier gepfiffen?«, donnert der Troll.
Kokosnuss muss schlucken. Seine Knie zittern wie Wackelpudding. Zögernd tritt er vor und stottert: »I-ich habe gepfiffen, weil ...«
»Interessiert mich nicht!«, herrscht der Troll den kleinen Drachen an. »In diesem Tal wird nicht gepfiffen, verstanden?«
»A-aber ich wollte doch nur die anderen herbeipfeifen.«
»W-wegen des Entenblümchens«, meldet sich Matilda.
»Entenblümchen?«, wiederholt der Troll.
»Ja, äh«, sagt Oskar und zeigt auf den einen Fuß des Trolls. »Du stehst gerade drauf.«

Der Troll rührt sich kein Stück und grummelt:
»Ich stehe, wo ich will!«
In diesem Moment kommen Dr. Blumenkohl, Lulu und Duftikus angerannt. Als sie den Troll erblicken, bleiben sie erschrocken stehen.
»W-wer hat gepfiffen?«, fragt Dr. Blumenkohl.
»Das habe ich auch gerade gefragt«, brummt der Troll.
»Oskar hat das Entenblümchen gefunden«, sagt Kokosnuss.
»Wie?«, ruft Dr. Blumenkohl. »Wo?«
»Ehm, also, eben war es noch da«, sagt Oskar.
»Aber dieser, äh, Typ steht drauf. Mit seinem rechten Fuß.«
Dr. Blumenkohl blickt erst auf Oskar, dann auf den Troll.
»Mein rechter Fuß geht euch gar nichts an«, brummt der Troll.
Dr. Blumenkohl stemmt seine Arme in die Hüften und sagt: »Ihr rechter Fuß, mein Herr, mag Ihnen gehören. Aber wenn sich darunter tatsächlich ein Entenblümchen befindet, dann ist das von aller-

höchster Wichtigkeit für die Wissenschaft! Ich bitte Sie deshalb, Ihren rechten Fuß zu heben!«

Verblüfft blickt der riesige Troll auf den kleinen Drachenlehrer hinab. So jemand ist ihm ja noch nie untergekommen! Er überlegt kurz, dann hebt er den rechten Fuß und sagt: »Wenn es denn der Wissenschaft dient.«

Dr. Blumenkohls Augen leuchten. Unter dem Fuß des Trolls kommt ein Entenblümchen zum Vorschein. Der Troll senkt den Fuß wieder.

»Was soll das denn, bitte?«, ruft der Lehrer empört.

»Hihi«, kichert der Troll. »Ich sollte doch den Fuß heben. Hab ich gemacht.«

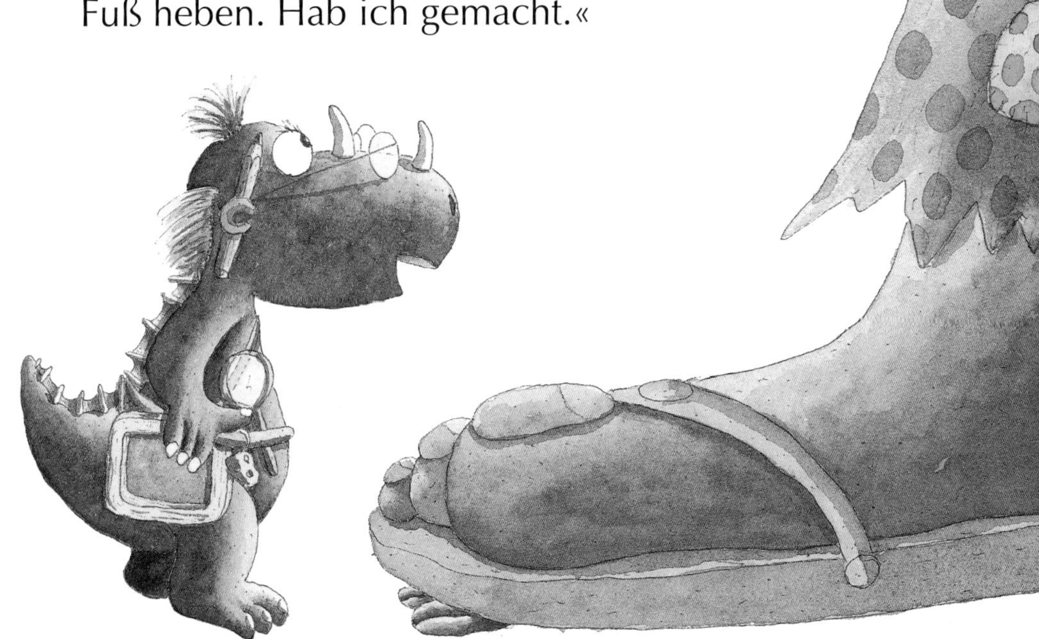

Dann hebt und senkt er den Fuß ein paarmal kurz hintereinander.
»Sehr witzig, Sie Spaßvogel!«, ruft Dr. Blumenkohl wütend. »Dies ist das letzte Entenblümchen auf der ganzen Dracheninsel!«
Da stutzt der Troll und sagt: »Das kann nicht stimmen!«
Er zeigt auf einen nahe liegenden Berg. »Dort oben wächst eine Menge dieser Blümchen.«
»Wie bitte?«, ruft Dr. Blumenkohl fassungslos.
»Haufenweise«, brummt der Troll. »Man kommt nur nicht hin, weil am Aufgang eine bissige Pflanze wächst.«
»Wie sieht die denn aus?«, fragt der Lehrer.
»Jö, grün, mit spitzen Blättern und Dornen.«
»Aha, bestimmt eine *Appetita gigantea* aus der Familie der *Carnivoraceae*«, sagt Dr. Blumenkohl. »Kein Problem. Kinder, folgt mir!«
Der Lehrer macht kehrt und marschiert in Richtung des Berges. Die Kinder folgen ihm. Der Troll blickt der kleinen Gruppe nach und murmelt: »Na, da geh ich doch mal mit.«

# Appetita gigantea

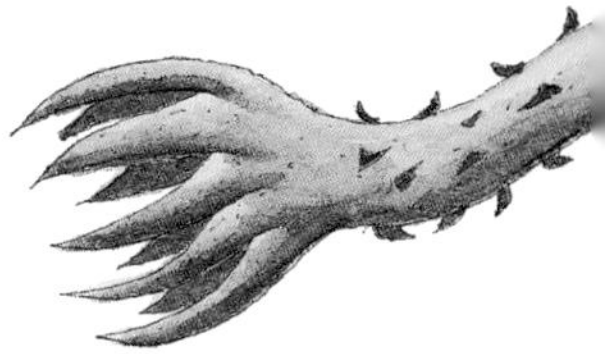

Der Berg ist so groß, dass man für die Umrundung einen Tag brauchen würde. An den Seiten fallen die Felsen steil ab. »Ein Hochplateau«, murmelt Dr. Blumenkohl. Nur an einer einzigen Stelle führt ein Weg auf den Berg. Dort, am schmalen Einstieg, lauert eine riesige Pflanze. Sie besitzt drei schlangenartige, mit Dornen versehene Stängel, an deren Enden spitze Blätter sitzen, die wie Mäuler aussehen.

Dr. Blumenkohl schluckt und sagt: »In der Tat – eine Appetita gigantea. Aber eine so große habe ich noch nie gesehen.«

»Ich würde der Pflanze nicht zu nahe kommen«, sagt der Troll.

Da zischt auch schon ein Stängel hervor und reißt sein Blättermaul auf. Der Lehrer und die Kinder weichen erschrocken zurück.

»Herr Dr. Blumenkohl«, meldet sich Kokosnuss. »Wir Feuerdrachen könnten doch einfach zu den Entenblümchen hinauffliegen.«
»Sicher, Kokosnuss. Aber als Wissenschaftler muss ich die Entenblümchen persönlich untersuchen und erfassen. Und ich kann euch nicht alleine losziehen lassen. Vielleicht lauern dort oben noch weitere Gefahren.«
»Und was meinten Sie vorhin mit ›Kein Problem‹?«, fragt Matilda.
Dr. Blumenkohl lächelt und antwortet: »Wir setzen der Appetita gigantea ihre Lieblingsspeise vor. Dann wird sie uns vorbeilassen.«
»Und was ist ihre Lieblingsspeise?«, fragt Kokosnuss.
Dr. Blumenkohl zwinkert Oskar zu und sagt: »Käsebrot.«
»Käsebrot?«, wiederholen die Kinder.
»A-aber das ist unfair!«, ruft Oskar. »Ich habe nur noch ein einziges, und das brauche ich viel dringender als diese komische Appeltatzi Dingsdabumsda!«

Doch weil die anderen ihn mit großen Augen anschauen, holt er sein Käsebrot hervor und nähert sich vorsichtig der riesigen Pflanze.
»Also«, sagt der Troll, »das kleine Käsebrot wird nicht genügen.«
Und tatsächlich – kaum ist Oskar nahe genug, schnappt sich eines der Blättermäuler die Käsestulle und schlingt sie hinunter. Die anderen beiden Mäuler aber zischen auf den Fressdrachenjungen zu. Kokosnuss springt herbei und speit einen Feuerstrahl. Da kommt ein Wasserstrahl aus den Blättermäulern, der so stark ist, dass Kokosnuss zurückgeworfen wird.
Oskar bringt sich in Sicherheit und ruft: »Die hat sie wohl nicht alle!«
Kokosnuss bleibt verdattert und pitschpudelnass im Sand sitzen.
»Äh, nun«, sagt Dr. Blumenkohl. »Dieses Exemplar hat ja überraschende Eigenschaften.«
»Dr. Blumenkohl«, fragt Kokosnuss.
»frisst die Appetita gigantea denn überhaupt Drachen?«

»Sie ist ein Allesfresser«, antwortet der Lehrer. Kokosnuss hat eine Idee. Er ruft alle zusammen und erklärt seinen Plan.
»Hihi«, grinst Oskar. »Guter Plan, Kokosnuss!«
»Finde ich auch!«, sagt Matilda.
»Ehm, ja«, sagt Lulu und schluckt.
»O-kay, b-bin dabei«, stammelt Duftikus.
Der Troll verschränkt seine Arme hinter dem Rücken und sagt: »Prima Idee! Da gucke ich zu!«
Dr. Blumenkohl wiegt den Kopf zweifelnd hin und her. »Ich weiß nicht.«
»Bitte, Herr Dr. Blumenkohl«, sagt Kokosnuss. »Lulu, Duftikus und ich schaffen das! Und außerdem: Probieren geht über Studieren!«
Der Lehrer blickt den kleinen Drachen nachdenklich an. Dann gibt er sich einen Ruck und nickt. »Also gut, aber seid vorsichtig!«

Kokosnuss, Lulu und Duftikus nehmen Anlauf, spreizen ihre Flügel und fliegen auf die Riesenpflanze zu. Sogleich zischen ihnen die Blättermäuler entgegen. Blitzschnell fliegen die Drachenkinder in verschiedene Richtungen davon. Genauso schnell verfolgen die drei Mäuler die kleinen Drachen. Kokosnuss fliegt einen Überschlag. Ein weit aufgerissenes Blättermaul sitzt ihm so im Nacken, dass der Stängel beim Überschlag eine Schlaufe bildet. Durch diese Schlaufe fliegen Lulu von rechts und Duftikus von links, dicht

gefolgt von den anderen Blättermäulern. Jetzt jagen alle drei Drachenkinder nach oben, fliegen auseinander, fliegen Überschläge und Kurven, sodass die biegsamen Stängel der Pflanze sich immer mehr ineinander verknoten. Dann rasen die kleinen Drachen aufeinander zu. Zischend und gierig folgen ihnen die Mäuler. Doch gerade als Kokosnuss, Lulu und Duftikus aufeinanderzuprallen drohen, ruft Kokosnuss: »Jetzt!«
Die Feuerdrachen drehen im letzten Moment ab. Die drei Blättermäuler krachen gegeneinander, dass es nur so scheppert!
Mit einem Stöhnen stürzen die Stängel der Appetita gigantea zu Boden und bleiben reglos liegen.
Ganz außer Atem landen die Drachenkinder bei den anderen. Zunächst starren alle auf die Pflanze, die ohnmächtig vor ihnen liegt.
Dann durchbricht der Troll die Stille: »Heidewitzka, das habt ihr gut hingekriegt!«
»Wenn ich einen Hut hätte«, sagt Dr. Blumenkohl, »würde ich sagen: Hut ab!«

Auch Matilda und Oskar gratulieren den drei Feuerdrachen. Dann huscht die Gruppe an dem grünen Monstrum vorbei und marschiert zum Felsplateau hinauf. Der Troll überlegt nicht lange und folgt ihnen.

## Entenblümchen

Auf dem Plateau erwartet sie eine weite, grüne Wiesenlandschaft. Tausende und Abertausende von Entenblümchen wachsen hier! Dr. Blumenkohl reißt die Arme hoch.

»Ist es denn die Möglichkeit! Genau so muss es früher auf der Dracheninsel ausgesehen haben! Wo das Auge hinschaut – nichts als wunderbare Entenblümchen! Kinder, holt das Buch!«

Mit seiner Lupe untersucht Dr. Blumenkohl sorgfältig eine kleine Gruppe von Entenblümchen und trägt seine Beobachtungen in das Buch ein. Währenddessen blicken die Kinder zu dem Troll hinüber, der ein paar Entenblümchen pflückt.

»Herr Dr. Blumenkohl«, fragt Kokosnuss, »sollte der Troll nicht auch in dem Buch aufgeführt werden?«
Der Lehrer hält inne und betrachtet stirnrunzelnd den Troll.
»Hm, es ist zwar ungewöhnlich, aber ohne Zweifel gibt es den Troll und er ist ein Lebewesen. Dann muss er auch im Buch vorkommen.«
»Ich hole ihn!«, ruft Kokosnuss und rennt zu dem Troll hinüber.

Etwas später sitzen alle beisammen: Dr. Blumenkohl, Kokosnuss, Matilda, Oskar, Lulu, Duftikus und der riesige Troll. Die Kinder stellen dem Troll die Fragen und der Lehrer trägt die Antworten in das große Buch ein.

»Wie heißen Sie?«, fragt Matilda.
»Ehm, meine Name ist Troll, Wolfgang Troll«, antwortet der Troll.
»Wie alt sind Sie?«, fragt Lulu.
Der Troll zählt seine Lebensjahre an den Fingern ab. »157.«
»Ui«, staunen die Kinder.
»Welches ist Ihre Lieblingsfarbe?«, fragt Duftikus.
»Blaue Punkte habe ich am liebsten.«
»Was ist dein Lieblingsessen?«, fragt Oskar.
»Pilze mit Butter und Zwiebeln, in der Pfanne gebraten.«
»Haben Sie Kinder?«, fragt Matilda.
»Drei!«, antwortet der Troll mit leuchtenden Augen.
»Können Sie Handstand?«, fragt Kokosnuss.
Der Troll geht ein Stück auf den Händen. Die Kinder klatschen Beifall.
»Wir brauchen noch Ihre Größe und Ihr Gewicht«, sagt Dr. Blumenkohl.
»Ich bin größer als ein Baum und so schwer wie sechs Elefanten.«

Dr. Blumenkohl schreibt mit und die Schüler stellen dem Troll noch viele Fragen. Sie erfahren, dass Trolle in Höhlen leben, dass sie gerne faulenzen und dass sie einander jeden Abend Geschichten erzählen.
Nachdem Dr. Blumenkohl alles eingetragen und ein Entenblümchen samt Wurzeln und Erde vorsichtig in ein Töpfchen gepflanzt hat, kehren sie gemeinsam in die Ebene zurück. In der Nähe der Appetita gigantea verlangsamen sie ihre Schritte. Die Riesenpflanze ist noch immer damit

beschäftigt, sich zu entwirren. So gelangen sie unbehelligt zurück ins Tal der Riesenpilze. Bevor sie sich von dem Troll verabschieden, zeigt dieser ihnen einen anderen Weg zum Klippenwald. Der ist zwar länger, doch so muss Dr. Blumenkohl nicht die wackelige Hängebrücke überqueren.

Einige Tage später, als die Kinder wieder zu Hause sind, liest Mette am Frühstückstisch Kokosnuss' Aufsatz über den Schulausflug. Sie schüttelt den Kopf.
»Kokosnuss, ihr solltet einen Bericht schreiben und keine Fantasiegeschichte!«
»Aber alles, was ich geschrieben habe, ist genau so passiert!«, protestiert Kokosnuss.
»Natürlich!«, sagt Mette. »Erst unterhaltet ihr euch mit Gespenstern, deren Köpfe durch die Luft fliegen. Dann werft ihr Dr. Blumenkohl in einen See. Danach taucht ein riesiger Troll auf und zum Schluss eine gefräßige Riesenpflanze! Was du beschreibst, ist kein Schulausflug, sondern ein Abenteuer.«

»Ja«, erwidert Kokosnuss, »so war das aber, ein Schulausflug ins Abenteuer!«
Mette seufzt. »Magnus, was sagst du dazu?«
»Also, das mit den Gespenstern, die ihre Köpfe durch die Luft werfen, finde ich auch etwas übertrieben«, sagt Magnus. »Aber sonst …«
Kokosnuss verschränkt die Arme vor der Brust. »Pfff, ich streiche doch nicht etwas, was wirklich passiert ist! Und jetzt muss ich los, sonst komme ich zu spät.«
Er steckt den Aufsatz in seine Mappe und rennt zur Schule hinab.
»Na ja«, murmelt Mette, »vielleicht bekommt er eine gute Note für seine Fantasie.«

Am Tag darauf, nur ein paar Höhlen weiter, schüttelt auch Dr. Blumenkohl den Kopf, als er den Aufsatz von Kokosnuss liest. Gespenster, so etwas! Dann liest er Matildas Aufsatz. Genau die gleiche Gespenstergeschichte! Wieder schüttelt er den Kopf. Doch bald wird der Lehrer stutzig: Auch Lulu, Duftikus und Oskar schreiben über

die Gespenster. Merkwürdig. Alle Kinder schreiben über zwei Gespenster. Ob vielleicht doch ein Funken Wahrheit darin steckt?
Am Abend macht sich Dr. Blumenkohl auf den Weg in den Klippenwald. Im Gepäck hat er einen Schlafsack, eine große Portion Rote Grütze mit Vanillesoße und einen Wecker. Denn genau um Mitternacht möchte er hellwach sein.

Foto: privat

Ingo Siegner, 1965 geboren, wuchs in Großburgwedel auf. Schon als Kind erfand er gerne Geschichten. Später brachte er sich das Zeichnen bei. Mit seinen Büchern vom kleinen Drachen Kokosnuss, die in viele Sprachen übersetzt sind, eroberte er auf Anhieb die Herzen der jungen LeserInnen. Ingo Siegner lebt als Autor und Illustrator in Hannover.

Ingo Siegner

# Der kleine Drache Kokosnuss

**Der kleine Drache Kokosnuss auf der Suche nach Atlantis**
ISBN 978-3-570-15280-5

**Der kleine Drache Kokosnuss und die starken Wikinger**
ISBN 978-3-570-13704-8

**Der kleine Drache Kokosnuss und das Geheimnis der Mumie**
ISBN 978-3-570-13703-1

**Der kleine Drache Kokosnuss und das Vampir-Abenteuer**
ISBN 978-3-570-13702-4

8245

www.cbj-verlag.de

# Alle Kokosnuss-Abenteuer auf einen Blick:

Der kleine Drache Kokosnuss (978-3-570-12683-7)

Der kleine Drache Kokosnuss kommt in die Schule (978-3-570-12716-2)

Der kleine Drache Kokosnuss – Hab keine Angst! (978-3-570-12806-0)

Der kleine Drache Kokosnuss und der große Zauberer (978-3-570-12807-7)

Der kleine Drache Kokosnuss und der schwarze Ritter (978-3-570-12808-4)

Der kleine Drache Kokosnuss und seine Abenteuer (978-3-570-13075-9)
*gekürzte Fassung des Bilderbuchs »Der kleine Drache Kokosnuss« (978-3-570-12683-7)*

Der kleine Drache Kokosnuss – Schulfest auf dem Feuerfelsen (978-3-570-12941-8)

Der kleine Drache Kokosnuss besucht den Weihnachtsmann (978-3-570-13202-9)

Der kleine Drache Kokosnuss und die Wetterhexe (978-3-570-12942-5)

Der kleine Drache Kokosnuss reist um die Welt (978-3-570-13038-4)

Der kleine Drache Kokosnuss und die wilden Piraten (978-3-570-13437-5)

Der kleine Drache Kokosnuss im Spukschloss (978-3-570-13039-1)

Der kleine Drache Kokosnuss und der Schatz im Dschungel (978-3-570-13645-4)

Der kleine Drache Kokosnuss und das Vampir-Abenteuer (978-3-570-13702-4)

Der kleine Drache Kokosnuss und das Geheimnis der Mumie (978-3-570-13703-1)

Der kleine Drache Kokosnuss und die starken Wikinger (978-3-570-13704-8)

Der kleine Drache Kokosnuss auf der Suche nach Atlantis (978-3-570-15280-5)

Der kleine Drache Kokosnuss bei den Indianern (978-3-570-15281-2)

Der kleine Drache Kokosnuss im Weltraum (978-3-570-15283-6)

Der kleine Drache Kokosnuss reist in die Steinzeit (978-3-570-15282-9)

Der kleine Drache Kokosnuss – Schulausflug ins Abenteuer (978-3-570-15637-7)

Der kleine Drache Kokosnuss bei den Dinosauriern (978-3-570-15660-5)

Der kleine Drache Kokosnuss und der geheimnisvolle Tempel (978-3-570-15829-6)

Der kleine Drache Kokosnuss und die Reise zum Nordpol (978-3-570-15863-0)

Der kleine Drache Kokosnuss – Expedition auf dem Nil (978-3-570-15978-1)

Der kleine Drache Kokosnuss – Vulkan-Alarm auf der Dracheninsel (978-3-570-17303-9)